Chers amis rongeurs,
bienvenue dans le monde de

Geronimo Stilton

L'Écho du Rongeur
Rédaction

Texte de Geronimo Stilton
Couverture de Larry Keys
Illustrations de l' intérieur : idée de Larry Keys ; réalisation de Toffina Sakkarina, Moustache de' Fer et Topika Topraska
Maquette de Margarita Gingermouse, Bafshiro Toposawa et Soia Topiunchi
Traduction de Titi Plumederat

www.geronimostilton.com

Pour l'édition originale :
© 2000 Edizioni Piemme S.P.A. Via del Carmine, 5 – 15033 Casale Monferrato (AL) – Italie,
sous le titre *Quattro topi nelle giungla nera*
Pour l'édition française :
© 2004 Albin Michel Jeunesse – 22, rue Huyghens – 75014 Paris – www.albin-michel.fr
Loi 49 956 du 16 juillet 1949 sur les publications destinées à la jeunesse
Dépôt légal : premier semestre 2005
N° d'édition : 13372/2
ISBN : 2 226 14065 4
Imprimé en France par l'imprimerie Clerc à Saint-Amand-Montrond

Geronimo Stilton

QUATRE SOURIS DANS LA JUNGLE-NOIRE

ALBIN MICHEL JEUNESSE

Geronimo Stilton
Souris intellectuelle,
directeur de *L'Écho du rongeur*

Téa Stilton
Sportive et dynamique,
envoyée spéciale de *L'Écho du rongeur*

Traquenard Stilton
Insupportable et farceur,
cousin de Geronimo

Benjamin Stilton
Tendre et affectueux,
neveu de Geronimo

C'EST GRAVE, DOCTEUR SOURISTEIN ?

Allongé sur le divan du psychanalyste, je fixais le plafond, les yeux écarquillés, très inquiet.

– Alors, c'est grave, docteur Souristein ?

Il chicota, de son drôle d'accent :

– Ragondez-moi *d*out. *G*omment *z*a a *g*ommen*zé* ? *G*and ?

– Eh bien, au début, j'avais seulement peur du dentiste, puis je me suis mis à avoir peur de prendre L'ASCENSEUR, de monter en avion...

Ensuite j'ai eu peur des araignées, peur des serpents, peur de rester dans une pièce close, peur de la foule.

Puis la peur des voleurs,
Peur du vide,
de l'obscurité et, maintenant, des maladies et des piqûres… Ah, et j'oubliais, docteur Souristein, j'ai aussi très peur des *chats* !
Il s'impatienta et agita la patte.
– *F*ous êtes une *z*ouris, *z*'est donc normal si *f*ous avez *b*eur des *chats* !
– Je vous en supplie, docteur Souristein, dites-moi tout : **C'EST GRAVE ?** glapis-je, désespéré.
Il hocha la tête, d'un air solennel :
– *Z*'est *b*eu*d*-être gra*f*e, ou *b*eu*d*-être *b*as… *Z*a dépend de *f*ous ! J'insistai :
– S'il vous plaît. Ça mettra **LONGTEMPS** à guérir ?
Il murmura :
– *Z*a me*dd*ra *b*eu*d*-être longtemps, ou *b*eu*d*-être *b*as… *Z*a dépend de *f*ous !
Je poursuivis, de plus en plus piteux :
– Euh, pardonnez-moi, mais… ça coûtera cher ?

Il ricana :

– *Z*a goû*t*era *b*eu*d*-être cher,
ou *b*eu*d*-être *b*as… *Z*a dépend de *f*ous !

Puis il conclut, d'un ton sévère :

– N'oubliez *ch*amais, il faut *g*ue *f*ous *g*ollaboriez ! *F*ous de*f*ez **AFFRONTER *FOS* PEURS, *FOS* PHOBIES !** Zinon, *f*ous ne guérirez *ch*amais ! Re*f*enez me voir mer*g*redi prochain. *Z*a fait cinq gros *p*illets, s'il *f*ous *b*laît !

C'EST GRAVE ?

En sortant du cabinet du docteur Souristein, je me sentais plus *léger*, mais c'était simplement mon portefeuille qui s'était *allégé* !
Hélas, le docteur Souristein était le plus célèbre **PSYCHANALYSTE** de Sourisia : il disait que la guérison ne dépendait que de moi, et il devait avoir raison… mais tu parles d'une consolation !

En sortant du cabinet du docteur Souristein,
je me sentais plus léger…

OÙ ÉTAIS-TU PASSÉ ?

Le lendemain matin, je ne sortis pas de chez moi.
Le jour d'après, non plus.
Le matin du troisième jour, je dus reconnaître que j'allais de plus en plus mal, puisque, maintenant, j'avais même PEUR de sortir de chez moi !
Le matin du quatrième jour, le téléphone sonna.
Je chuchotai :
– Allô ? Ici Stilton, *Geronimo Stilton*.
À l'autre bout du fil, c'était ma sœur, Téa Stilton, envoyée spéciale de mon journal. C'est vrai, je ne vous l'ai pas dit ?

Je suis une souris éditeur, je dirige *l'Écho du rongeur*, le quotidien le plus important de l'île des Souris !

– Geronimo ! **Où étais-tu passé ?** Ça fait trois jours qu'on ne t'a pas vu au bureau ! couina Téa, agacée. Tu as oublié que tu avais quatre contrats à signer, onze couvertures à approuver, deux interviews pour la télé et une conférence de presse au *Club des journalistes* ? Monsieur s'offre des vacances qui n'étaient pas prévues au programme, c'est nouveau, ça ! Qu'est-ce que ça veut dire ?

– Euh, c'est que je ne me sentais pas très bien. Mais je viendrai demain, c'est sûr…

EN TRENTE SECONDES CHRONO !

Le lendemain, je pris mon courage à deux pattes et me forçai à sortir.
Je descendis l'escalier (pas question de prendre l'ascenseur, BRRR !), entrouvris précautionneusement la porte d'entrée et glissai le museau au-dehors. Le vacarme de la circulation me donna la chair de poule. Je pris ma respiration et rassemblai tout mon courage. Je posai une patte sur le trottoir.
– ÇA MARCHE ! AH, COMME JE SUIS CONTENT !
Je me demande bien pourquoi j'avais si peur de sortir de chez moi…
Je me dirigeai vers le kiosque à journaux.

1 Je n'eus pas le temps de lire les gros titres…
2 Un pot de géranium tomba d'une fenêtre du cinquième étage et atterrit sur ma tête.
3 Je titubai et allai me cogner contre un lampadaire.
4 Je trébuchai sur une plaque d'égout.
5 Je m'affalai sur l'asphalte, de tout mon long, comme un benêt.
6 J'allai me relever quand un taxi me roula sur la queue.

7 Au même moment, une fiente de pigeon me tomba sur le bout du museau.
Le tout en trente secondes chrono.
– **Au secouuuuuuurs !** hurlai-je, désespéré.
Je courus me barricader chez moi.
– Et voilà, je le savais, c'est dangereux de sortir de chez soi ! **TRÈS DANGEREUX** couinai-je à voix haute. Pas question que je sorte d'ici ! dis-je pour conclure en fermant la porte à décuple tour.

Pas de piqûres !

Le sixième jour, ma sœur Téa appela de nouveau. C'était un dimanche, mais elle était quand même au bureau.

– Geronimo ! Et alors ? Qu'est-ce qu'il t'arrive ?

– Euh, je suis un peu enrhumé… puis je fis semblant d'éternuer. Atchoum ! Téa rétorqua :

– Bon, dans ce cas, je viens te chercher et je t'emmène chez le médecin. Il te remettra d'aplomb, quitte à te faire une ou deux piqûres !

– Nooooooooooon ! hurlai-je, terrifié. Pas de piqûres ! D'ailleurs, ça va déjà beaucoup mieux ! Je sens que ça va passer !

Téa (qui est d'une nature méfiante) marmonna :

– Hummm, j'ai appris que tu étais allé voir le docteur Souristein : comment ça se fait, Geronimo ?

Je ne pouvais plus mentir :

– Eh bien, en effet, j'avais comme un petit

Ma sœur mit le haut-parleur…

tracas, ou plutôt une foule de petits tracas…
– Des petits tracas ? Quel genre de petits tracas ? Allez, raconte-moi tout, je peux sûrement t'aider…
À l'arrière-plan, j'entendis une voix décidée qui demandait :
– Geronimo a un problème ?
Je reconnus la voix de mon cousin Traquenard. Vous le connaissez ? Il est brocanteur. C'est lui le propriétaire du Bazar des Puces qui boitent.
J'entendis aussi la petite voix de Benjamin, mon neveu préféré :
– Qu'est-ce qu'il a, tonton Geronimo ? Tu me le passes ? Je veux lui dire bonjour.
Ma sœur Couina :
– Geronimo, je mets le haut-parleur, comme ça tout le monde pourra t'entendre. Allez, vas-y, parle, raconte-nous tout ! Je commençai en hésitant :
– Eh bien, je suis allé voir le docteur Souristein, le *psychanalyste*, parce que j'ai peur de monter en avion, peur du noir, peur de

sortir de chez moi ! En fait, j'ai peur de tout !
– Et qu'est-ce qu'il t'a dit, ce *pisschanalyste* ? demanda Traquenard.
– Il a dit que, pour me débarrasser de ces *phobies*, je devais les affronter. Traquenard piailla :
– Des *amphibies* ? Qu'est-ce que les *amphibies* viennent faire là-dedans ?

DU COURRIER POUR MONSIEUR STILTON !

Une demi-heure plus tard, on sonnait chez moi.

– Driiiing !!!

Je décidai de ne pas aller ouvrir.

Mais la sonnette retentit encore.

Derrière la porte, une petite voix couina :

– Du courrier pour monsieur Stilton !

Je restai 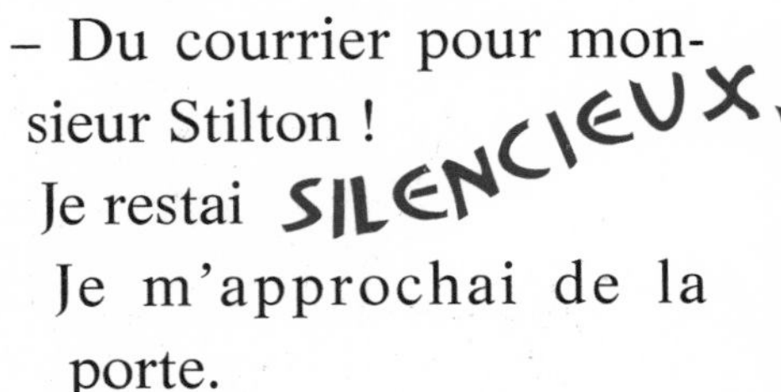

Je m'approchai de la porte.

– Oh, il va être content, monsieur Stilton, en voyant le beau colis que je lui apporte !

À mon avis, ça doit être une boîte de chocolats au fromage... oui, oui, oui, c'est l'odeur des chocolats au fromage !

Ces mots m'avaient mis l'eau à la bouche.

La petite voix :
– Ah, il a bien de la chance, monsieur Stilton, de recevoir des friandises aussi délicieuses ! Bon, tant pis, je m'en vais, mais je laisse LE PAQUET sur le paillasson... Voilà, je m'éloigne, je suis déjà loin, je descends l'escalier... Je suis très loin...
J'attendis quelques minutes, pour être bien sûr, puis j'introduisis la clef dans la serrure, ouvris la porte avec précaution...
Je risquai le bout de mon museau au-dehors...

DES CHOCOLATS AU FROMAGE

Six pattes me soulevèrent et m'embarquèrent dans une voiture.

– Au secouuurs ! hurlai-je. C'est un enlèvement !

La voiture démarra **SUR LES CHAPEAUX DE ROUE.**

Ma sœur était au volant, à côté d'elle, Traquenard, derrière, pour me tenir compagnie, mon petit neveu Benjamin.

– **J'AI PEUR DE SORTIR DE CHEZ MOI !** hurlai-je encore, terrorisé.

– Allons donc ! plastronna mon cousin Traquenard. Il suffit de penser à autre chose !
Puis il me fourra dans la bouche un chocolat au fromage.
– Tiens ! Comme ça, tu te tiendras tranquille un moment…
TU ES VRAIMENT UN SACRÉ PLEURNICHARD…
J'aurais voulu insister, dire qu'il n'était pas question, mais absolument pas question que je m'éloigne de chez moi, mais j'avais la bouche pleine !
Ah, j'adore les chocolats au fromage !
Traquenard chicotait, tout joyeux :
– Dis donc, cousin, tu préfères quoi ? *les chocolats fourrés au maroilles*, les *bouchées au gorgonzola*… ou bien les **ganaches au cacao et au cantal ?**
Il ne me laissa pas le temps de répondre et m'enfourna dans la bouche

une *truffette* (délicieuse petite mimolette triple crème recouverte d'éclats de chocolat amer).

– C'est bon ? Tu aimes ça, cousin ? demandait-il, en piochant dans une boîte de **chocolats** et de petits-fours venant d'une des plus fines pâtisseries de Sourisia.

Je commençais à recouvrer ma bonne humeur !

Benjamin aussi goûtait ces friandises et chicotait, aux anges :

– Regarde, oncle Geronimo, il y a des *croquants à la fondue !* Et des *écorces* d'*emmental confit* !

Puis il offrit une *cancoillottine* (c'est-à-dire une ganache à la

cancoillotte) à ma sœur Téa, qui conduisait.

– Goûte-moi ça, tante Téa, c'est sublime !

Ces chocolats étaient si bons que nous les dévorâmes en un temps record.

Tout au grignotage et au bavardage avec mon neveu, je ne m'aperçus pas que le temps passait…

Soudain, la voiture s'arrêta.

Je découvris que nous étions à l'aéroport…

J'AI PEUR DE LA VITESSE !

Je descendis de voiture et découvris que nous étions à l'aéroport.

– Pourquoi m'avez-vous emmené ici ?

demandai-je, terrorisé.
Mon cousin Traquenard me donna un coup de coude et m'adressa un clin d'œil.
– Tu n'as pas vu le plus beau, *hé hé héééé* !
– Le plus beau ? Qu'est-ce que ça veut dire ? Hein ? insistai-je, de plus en plus inquiet.
Je n'eus pas le temps d'en dire plus, car Traquenard me fit monter de force sur un chariot à bagages, en criant :

– VOILÀ LE PLUS BEAUUUUU !

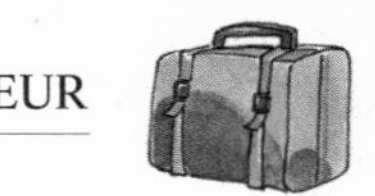

Puis il me fit remonter le couloir central de l'aéroport à une vitesse stratosphérique.

– Place, place ! Poussez-vous ! You-houuuuuu ! J'adore la viteeeeeesse ! chicotait-il, ravi.

– Pas moiiii ! couinais-je, terrifié.

Traquenard changea brusquement de cap et se dirigea vers la salle d'attente réservée aux rongeurs VIP. Au même moment, une petite souris au pelage blond platine en sortait. Elle portait un **PANTALON DE TREILLIS** à la dernière mode.

Elle avait aussi **un gilet sans manches** en fourrure de **CHAT TIGRÉ SYNTHÉTIQUE**. À ses pattes, des bottines à lacets en cuir doré, ornées de boucles métalliques et de bouts en acier renforcé. À son cou, UN COLLIER de dents de requin.

collier
de dents de requin

fourrure
de chat tigré synthétique

bottines à lacets
en cuir doré

DENTS DE REQUIN

Traquenard s'arrêta brusquement devant l'inconnue. Surprise, elle s'exclama, en caressant son collier de dents de requin :
– Mais ne seriez-vous pas le célèbre écrivain *Geronimo Stilton* ? Oh, comme c'est émouvant !
Je rougis jusqu'à la pointe du museau.
L'inconnue demanda, d'une voix cajoleuse :
– Vous voulez bien me signer un autographe ? Vous savez, j'ai lu tous vos livres. Mon préféré, c'est *Le Fantôme du métro* (je l'ai trouvé si palpitant), mais j'ai aussi beaucoup aimé **LE MYSTÈRE DU TRÉSOR DISPARU**. L'histoire d'amour entre Toupie et Épilon est si émouvante !

J'en avais les larmes aux yeux... SNIF SNIF ! SNIF SNIF
Vous devez vraiment être une souris extraordinaire pour écrire aussi bien !
J'étais flatté d'avoir rencontré une admiratrice aussi enthousiaste.
J'allais lui répondre (je voulais lui dire quelque chose de très brillant), quand Traquenard repartit brusquement vers l'ascenseur à fond la gomme.

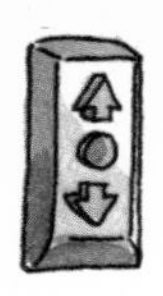

J'AI PEUR DE L'ASCENSEUR !

Mon cousin me déchargea du chariot et appela l'ascenseur qui montait à l'étage des départs internationaux.

– Et hop là ! Et maintenant, voilà le plus beau !

Je me relevai, tout meurtri, en ajustant mes lunettes sur mon museau. En découvrant l'ascenseur, je hurlai de toutes mes forces :

– Je ne monte pas là-dedans !

J'AI PEUR DE MONTER EN ASCENSEUR !

Traquenard se gratta une oreille et marmonna :

– Allons donc ! Il suffit de penser à autre chose !

Les portes s'ouvrirent. J'essayai de me dérober, mais mon cousin me fit un croche-patte et

Je roulai à l'intérieur comme une meule de fromage.

Traquenard bondit dans l'ascenseur en s'exclamant, triomphant :
– Et hop là ! Et voilà !
Comme dans un cauchemar, je vis les portes de l'ascenseur se refermer.
Je savais que je ne résisterais pas !

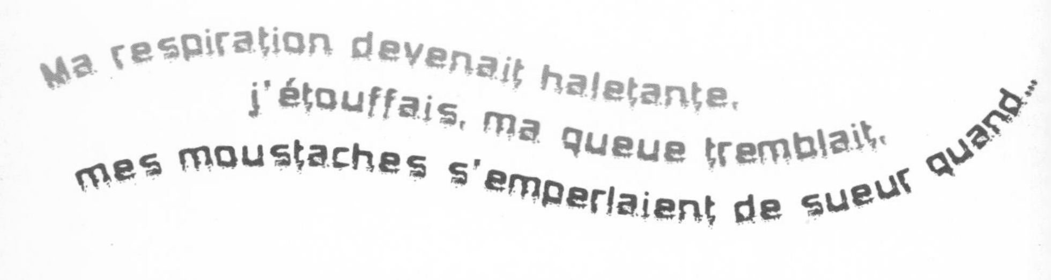

Traquenard m'écrabouilla la patte !
Je poussai un cri. La douleur était insupportable !
J'avais si mal que je ne pensais même plus que j'étais dans un ascenseur. Enfin, les portes s'ouvrirent.
Mon cousin conclut, satisfait :
– Tu as vu ? Il suffit de penser à autre chose !

Traquenard m'écrabouilla la patte !

J'AI PEUR EN AVION !

J'en avais vraiment assez de cette farce.

– Ça suffiiiiiit ! Je veux qu'on me laisse tranquille ! Ramenez-moi à la maison ! Je ne veux pas monter dans un avion :

J'AI PEUR EN AVION !

Au même moment, Traquenard me murmura à l'oreille, d'un ton suggestif :

– Regarde, cousin !

Et il me désigna la charmante souris que nous avions rencontrée un peu plus tôt.

Elle s'approcha du comptoir d'*enregistrement* (là où les numéros de siège sont attribués aux passagers et leurs bagages chargés dans les soutes de l'avion).

Mon cousin couina :

– Donnez-moi les billets ! Je vais aller enregistrer !

Puis il se dirigea en sifflotant vers le comptoir d'**AIRSOURIS** .

Il revint bientôt brandissant les cartes d'embarquement.

Il expliqua :
– Bon, alors… Téa, Benjamin et moi, nous sommes en queue de l'appareil. Toi, Geronimo, tu as la place 11B.

Je protestai :
– Mais pourquoi me laissez-vous tout seul ? Vous savez bien que j'ai peur en avion !

À cet instant, j'entendis une petite voix dans mon dos : c'était la charmante inconnue.
– Vous avez le siège 11B ? Dans ce cas, nous sommes voisins : j'ai le 11A ! Quelle coïncidence ! Le hasard fait bien les choses ! Nous allons voyager ensemble !

Traquenard me donna un coup de coude et murmura :
– Toujours aussi veinard, cousin !

Je rougis.

J'étais flatté à l'idée de passer quelques heures assis à côté d'une admiratrice.

Je murmurai à mon cousin :

– À propos, où as-tu dit que nous allions ?

Il grommela, évasif :

– Oh, nous allons dans un endroit merveilleux…

– D'accord, mais où ? insistai-je.

– Euh, dans la **JUNGLE NOIRE**,

au bord du RIO MOSQUITO,

avoua-t-il enfin.

J'allais demander d'autres précisions quand notre vol fut annoncé.

Vous êtes un mythe vivant, pour moi !

L'inconnue et moi, nous montâmes ensemble à bord de l'avion. Téa, Traquenard et Benjamin allèrent s'asseoir à l'arrière de l'appareil.
Benjamin me fit un petit signe de la patte :
– Coucou, tonton ! On se retrouve à l'arrivée !
Mon admiratrice dit :
– Quel honneur d'être assise à côté d'un mythe ! Pour moi, vous êtes le plus grand auteur vivant ! **VOUS ÊTES UN GÉNIE !** Ah, vos livres ont changé ma vie !
J'étais tellement flatté que je ne me rendis pas compte que nous avions décollé.
Les heures que nous passâmes à bavarder furent enchanteresses. La conversation me passionnait,

au point que j'oubliai complètement ma peur de l'avion !
À un moment, mon cousin m'interpella en hurlant dans un mégaphone, ce qui fit sursauter tous les passagers :
– Alors, je n'avais pas raison ?

– Il suffit de penser à autre chose !

VOUS N'AVEZ QU'À SIGNER LÀ !

Au moment de l'atterrissage, l'inconnue murmura :
– Oh, quelle étourdie ! Je ne me suis pas présentée. Je m'appelle **ARSÉNIA ARSENIKA !** Alors, vous ne me demandez pas ce que je vais faire sur le Rio Mosquito, au cœur de la Jungle-Noire ?

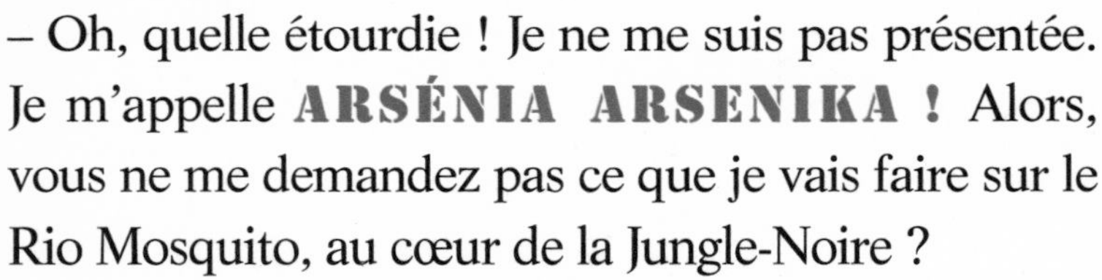

– Euh, justement, je me posais la question, mais je ne voulais pas paraître indiscret !

JUNGLE NOIRE

Elle sourit. Puis elle chuchota, comme si elle avait un secret à dévoiler :

– Je vais vous le dire, à vous et rien qu'à vous ! Je me suis inscrite à un stage très intéressant et très exclusif ! **C'EST UN STAGE RÉSERVÉ À QUELQUES RONGEURS TRIÉS SUR LE VOLET...**

Comme frappée par une idée subite, elle couina :
– Mais pourquoi ne viendriez-vous pas avec moi ? Je m'arrangerai pour vous trouver une place !
Je ne savais pas quoi répondre.

– Euh, je voyage avec ma famille, je ne sais pas exactement où ils m'emmènent, enfin, où je vais… et puis, c'est un stage de quoi ?
Elle s'exclama :
– ÇA, ALORS ! QUELLE COÏNCIDENCE ! LE HASARD FAIT BIEN LES CHOSES !
J'ai justement un formulaire d'inscription : vous n'avez qu'à signer là !

– Euh, excusez-moi, mais c'est un stage de quoi ? insistai-je.
Au lieu de me répondre, elle me tendit un papier en masquant de la patte ce qui était écrit.

– Signez ! On va bien s'amuser, c'est moi qui vous le dis ! Ce serait dommage de ne plus se revoir, vous ne trouvez pas ? sussura-t-elle d'un ton langoureux, en me jetant un regard enjôleur de ses grands yeux aux longs cils.

– Euh, mais c'est un stage de quoi ? murmurai-je, hésitant.

– Faites-moi confiance. Vous verrez, ça vous fera le plus grand bien, vous vous sentirez un autre après cela !

J'imaginai (allez savoir pourquoi) que c'était un stage de relaxation, que sais-je ? *de méditation transcendantale, de training autogène, de yoga…*

Je demandai :

Je signai.

– Vous êtes sûre que c'est relaxant ? Que ça me fera du bien aux nerfs ?
Elle répondit d'un ton assuré :
– Je vous garantis que ça vous fera le plus grand bien…
Quand je lui tendis le papier, j'eus l'impression, pendant une fraction de seconde, qu'elle ricanait.
Était-ce possible ?

Est-ce possible !

Puis elle chicota :
– Et vous n'avez pas vu le plus beau…
J'étais perplexe : comme c'était bizarre ! J'avais déjà entendu la même phrase, mais où ? Et quand ?
Au même moment, l'hôtesse de l'air ouvrit la porte de l'avion et les passagers commencèrent à sortir.

TU AS SIGNÉ, STILTON !

Je descendis de l'avion.

Je m'approchai de ma sœur Téa pour lui présenter mon admiratrice.

Je chicotai, en souriant :

– Téa, je te présente mademoiselle **ARSÉNIA ARSENIKA**, une sympathique admiratrice qui a lu tous mes livres !

Ma sœur ne prit pas la peine d'écouter et demanda à Arsénia, impatiente :

– Alors, *il a signé ?*

Arsénia répondit, avec un sourire sournois :

– Oui, *il a signé !*

Traquenard, Téa et Benjamin échangèrent un regard complice qui ne me plut pas du tout. Ils murmurèrent tous ensemble, sur un ton mystérieux :

– Ah, parfait, parfait, *il a signé...*
– Mais *qui* a signé ? demandai-je, inquiet. Et qu'a-t-il signé ?
Au lieu de me répondre, Téa, Traquenard et Benjamin se tournèrent vers Arsénia, qui hurla à pleins poumons :

TROP TARD, STILTON !

– Je ne comprends rien ! protestai-je.
Arsénia me fit taire d'un ton péremptoire. Elle avait brusquement changé de voix : elle était devenue très agressive !
– Tu n'as pas besoin de comprendre, Stilton. Contente-toi de m'obéir, un point c'est tout. Sans un murmure ! Monte dans cette jeep !
Elle désigna un 4 X 4 JAUNE garé au pied de l'avion : on aurait dit qu'il nous attendait.
Je protestai :
– Je n'irai nulle part si je n'en ai pas envie !
Arsénia ricana, en dépliant le papier que j'avais signé :
– Trop tard, Stilton ! Tu as signé !
Je jetai un coup d'œil sur la feuille que j'avais été

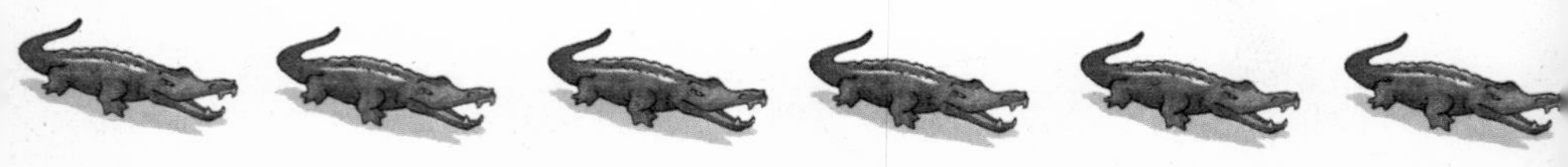

ÉCOLE DE SURVIE "ÇA DÉFRISE LES MOUSTACHES"

115, sentier du Scorpion
Rio Mosquito - Jungle-Noire

Je soussigné ....
accepte de participer au stage de survie organisé par l'école Ça défrise les moustaches. Le stage se déroulera dans la Jungle-Noire, sur la rivière Mosquito.

En signant ce papier, je m'engage à obéir **sans discuter** à tous les ordres que me donnera mademoiselle Arsénia Arsenika pendant toute la durée du stage.

Si je décide de ne pas participer au stage dans la Jungle-Noire ou de ne pas obéir aux ordres de mademoiselle Arsénia Arsenika, je m'engage à lui payer une indemnité de ***10 000 000*** de gros billets.

Signé :

Geronimo Stilton

assez imprudent pour signer et découvris l'en-tête :

ÉCOLE DE SURVIE ÇA DÉFRISE LES MOUSTACHES.

Je protestai :

– Quoi quoi quoi ? Mais c'est une escroquerie !

Arsénia éclata de rire.

– Et voilà, première leçon, Stilton : n'avoir confiance en rien ni en personne, Stilton ! Et maintenant, monte dans cette jeep, Stilton.

Je me révoltai :

– Pas question !

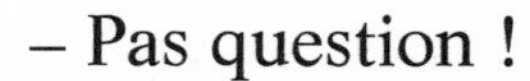

Uhmmm...

– Monte, Stilton ! ordonna Arsénia. Puis elle me tendit une loupe.

– Tu n'as pas lu la dernière ligne. C'est écrit en caractères minuscules, Stilton…

Je lus à haute voix, et je n'en crus pas mes yeux :

– « *Si je décide de ne pas participer au stage dans la Jungle-Noire ou de ne pas obéir aux ordres de mademoiselle Arsénia Arsenika, je m'engage à lui payer une indemnité de* **10 000 000** *de gros billets* »… Mais c'est énorme ! Je ne sais pas où trouver une telle somme, je serais incapable de réunir autant d'argent, même si j'hypothéquais ma maison d'édition pour les vingt prochaines années !

Arsénia ricana :

– En effet, Stilton. C'est une somme si délirante que tu vas être obligé de participer à ce stage, pas vrai, Stilton ?

Et maintenant,

Je vais te requinquer, moi, Stilton !

Trop tard, Stilton !

Tout penaud, je me dirigeai vers la jeep.
Je hochai la tête, profondément déçu, puis murmurai à Benjamin :
– Toi aussi, tu m'as trahi ! Toi, mon neveu préféré !
Je ne me serais jamais attendu à ça de ta part…
Benjamin me regarda, les larmes aux yeux, et dit :
– Tonton, c'est pour ton bien ! Vraiment !
– C'est vrai, Geronimo, tu nous remercieras un jour, déclara Téa d'un ton solennel.
Traquenard me fit un clin d'œil.
– Tu verras, cousin, une semaine, ça passe à toute allure !
Arsénia salua ma famille d'une phrase inquiétante :
– Ne vous inquiétez pas, je vais vous le requinquer !

J'AI PEUR DES INSECTES !

La jeep s'engagea sur une route goudronnée, poursuivit sur une piste de terre battue, et continua sur un sentier BOUEUX.
Le climat de la Jungle-Noire était accablant, et des nuées de moustiques me harcelaient la queue et les oreilles. Et s'ils m'inoculaient une maladie incurable ?

J'AI PEUR DES MALADIES...

Il faisait nuit noire lorsque nous arrivâmes au **campement n° 1** : c'était un bâtiment en béton armé, aussi lugubre qu'une caserne. Il se dressait au milieu d'une clairière entourée d'arbres immenses recouverts de plantes grimpantes.

J'étais épuisé, et je me laissai tomber sur une couchette crasseuse qui devait grouiller de puces et de poux. Brrrr !

J'AI PEUR DES INSECTES !

Mais j'étais si fatigué que je m'endormis tout habillé. Cette nuit-là, je rêvai à mon cousin qui me disait :

– Tu vois bien ! Il suffit de penser à autre chose !

1er JOUR : LUNDI

Le lundi, Arsénia me réveilla au point du jour en me jetant un seau d'eau glacée sur le museau et en criant :

– **TOULMONDENRANG !**

Je découvris que je n'étais pas le seul malheureux à participer à ce stage : quatre autres souris avaient signé, comme moi, pour un séjour dans la Jungle-Noire.

Résigné, j'enfilai une tenue de camouflage. D'habitude, je porte toujours un maillot de corps, même en été.

Car J'AI PEUR DE M'ENRHUMER...

Je voulus garder mon maillot, mais Arsénia s'en aperçut.

Elle ricana et hurla à pleins poumons :

– **UNE SOURIS DIGNE DE CE NOM NE PORTE PAS...**

CE QUE PORTE UNE VRAIE SOURIS !

QUEL EST LE VÊTEMENT
QU'UNE VRAIE SOURIS NE PORTE JAMAIS ?

1

2

3

4

5

6

SOLUTION :
UNE VRAIE SOURIS NE PORTE JAMAIS DE MAILLOT DE CORPS (2)

DE MAILLOT DE CORPS, STILTON !

Une autre surprise atroce m'attendait : un gigantesque sac à dos !

Arsénia en portait un identique, mais on aurait dit que, pour elle, cela ne pesait rien.

Elle cria :

– **TOULMONDENRANG !**

Nous quittâmes le **campement n° 1**.

La marche commença…

Je me présentai à mes compagnons :
– Bonjour à tous ! Mon nom est *Stilton, Geronimo Stilton !*
Un type bizarroïde, à l'allure sportive, marmonna :
– *UMPF !* **BALACLAVA CALATRAVA**, alias **B.C.** ! **Maître de karaté !**
B. C. s'était fait raser le pelage très court, en brosse.
Le deuxième participant était un rongeur plus large que haut, à la mine très sympathique.

BALACLAVA CALATRAVA,
alias **B.C.**

Il me serra cordialement la patte.
– Enchanté, je suis BOUMBOUM BONBONNIÈRE, alias BOMBARDON, chicota-t-il sur un ton amical, en épongeant la sueur qui ruisselait sur son front.
Boumboum me confia qu'il **était grossiste en friandises fromagères.**

Il murmura, compréhensif :
– Toi aussi, tu as signé sans lire, hein ? Moi, j'étais persuadé que je m'inscrivais à un stage d'amaigrissement sans peine. Personne ne m'avait dit que nous aurions à parcourir quarante kilomètres par jour sous cette chaleur écrasante...

BOUMBOUM BONBONNÈRE,
alias BOMBARDON

– Quoi quoi quoi ? balbutiai-je en chancelant sous le poids du sac à dos. Quarante kilomètres par jour ? Mais je n'y arriverai jamais ! Jamais, jamais, jamais ! Ma tension est très basse, je suis anémique, enfin, je suis un rongeur à la santé délicate !

Boumboum chuchota, d'un ton de conspirateur :

– Calme-toi, Geronimo, n'aie pas peur ! J'ai emporté des provisions, j'ai bourré mon sac à dos de saucissons (même si c'est interdit par le règlement). Tu peux compter sur moi !

Crêp Suzett

Puis je remarquai une petite fille avec des couettes, qui devait avoir treize ans :

– Salut, je suis Crêp Suzett !

Elle allait me dire quelque chose, mais Arsénia s'approcha et elle se tut.

Elle me fit un clin d'œil et un geste, comme pour dire : « On parlera tout à l'heure ! »
Puis vint vers moi une petite vieille. Elle était menue et sèche, avec un pelage argenté. Elle portait des lunettes à monture d'acier et une casquette rose à visière faite *au crochet*. Elle se présenta comme *Naphtaline Camphrée*, alias *Naf*, retraitée aimant les frissons. Pour s'offrir ce stage dans la Jungle-Noire, elle avait économisé toute l'année sur sa pension !

Naphtaline Camphrée, alias *Naf*

Nous nous mîmes en route à **cinq heures du matin.**

À cinq heures et quart, j'avais déjà des ampoules aux pattes !
Arsénia entonna une chanson à tue-tête :

JE SUIS UNE SOURIS COURAGEUSE,
JE SUIS UNE SOURIS VALEUREUSE !
JE SUIS PEUT-ÊTRE UN PEU STUPIDE
D'ÊTRE TOUJOURS FORT INTRÉPIDE !
MAIS DANS LA JUNGLE OU LE DÉSERT,
JE SUIS UN RONGEUR TRÈS EXPERT !
CE STAGE EST VRAIMENT CALCULÉ
POUR LES SOURIS TÊTES BRÛLÉES !
SCOUIT SCOUIT SCOUIIIT,
C'EST BEAU DE CHANTER,
C'EST BEAU DE MARCHER,
C'EST BEAU DE SUER,
C'EST BEAU DE PUER,
ET D'ÊTRE ÉCRABOUILLÉ PAR
LE SAC À DOS !

Sgnac sgnac sgnac !

Comme je refusais de reprendre cette chanson démente, Arsénia brandit le contrat sous mon museau et ricana.

– Tu as signé, Stilton ! Chante, Stilton ! Chante, ça te passera, Stilton ! hurla-t-elle en battant la mesure sur ma queue à l'aide du papier enroulé.

Nous nous enfonçâmes dans une forêt impénétrable, où des arbres séculaires étaient hauts comme des immeubles de cinq étages.
Dans ces arbres vivaient des animaux de toute sorte, qui lançaient des appels d'une branche à l'autre.
Singes, perroquets (et je ne sais combien d'insectes et de serpents, brrr) peuplaient cette forêt vierge tropicale, si dense que les rayons du soleil s'y frayaient un chemin à grand-peine.
Quelle humidité ! Le sentier n'était qu'un petit ruisseau de boue rougeâtre dans laquelle nous nous enfoncions un peu plus à chaque pas...

NOUS MARCHÂMES. NOUS MARCHÂMES. NOUS MARCHÂMES. NOUS MARCHÂMES.

Et puis ? Nous marchâmes encore.
Même pas le temps de s'arrêter pour manger. Arsénia nous fit ingurgiter un épouvantable sandwich à la crème de sauterelles, au pâté d'araignée et à la purée de poux.

La forêt était peut-être pleine de fauves...

Brrrrrrr!

Brrrrrrr!

Brrrrrrr!

Brrrrrrr!

Brrrrrrr!

Brrrrrrr!

Brrrrrrr!

Tous ces yeux qui brillaient dans les buissons...

Brrrrrrr!

Brrrrrrr!

Brrrrrrr!

Qui pouvait bien se cacher là ?

Il n'était permis de s'arrêter que pour faire pipi (pas plus de quinze secondes, et Arsénia chronométrait).

Pour les autres urgences, il fallait présenter une *demande écrite*.

Je protestai :

– Nous sommes fatigués ! Pourquoi ne pas s'arrêter pour se reposer ?

Arsénia me fit taire :

– Vous autres, souris des villes, vous êtes des chiffes molles, des fromages blancs ! Je vais vous requinquer, moi !

Nous marchâmes toute la journée.

Quand le soir tomba, la Jungle-Noire devint encore plus **TERRIFIANTE** (si c'était possible).

Les lianes qui pendaient des arbres se balançaient dans le vent, projetant sur les troncs de grandes ombres effrayantes.

bscurité, des oiseaux de nuit échangeaient de sinistres ululements.

J'AI PEUR DU NOIR

J'étais terrorisé. J'avais peur, très peur, et j'étais aussi fatigué, très fatigué.
Mais je fus obligé d'oublier ma peur de l'obscurité. Ainsi je ne pensai qu'à mettre une patte devant l'autre.
Enfin, à minuit pile, nous fîmes halte dans une clairière. Nous étions fatigués, épuisés, et nous nous assîmes **EN ROND AUTOUR D'UN FEU DE CAMP**.
– La soupe est prête ! nous appela Arsénia en tapant sur le couvercle d'une casserole avec une cuillère en fer.
J'étais affamé. J'attrapai ma gamelle et ingurgitai une grosse cuillérée d'un épais liquide rougeâtre..., mais je le recrachai aussitôt, dégoûté :
– Beurk !!! Mais qu'est-ce que c'est que ça ?
Arsénia ricana :
– De la soupe de fourmis rouges, Stilton !

– TAIS-TOI ET MANGE, STILTON !

Nous échangeâmes entre nous cinq un regard de dégoût. Le pauvre Boumboum avait les larmes aux yeux, mais il n'osait pas puiser dans les provisions de son sac à dos, car Arsénia ne nous quittait pas du regard.
Comme à un signal convenu, nous nous mîmes tous à manger avec une faim de félin.
Devant le feu de camp, nous parlâmes de nos peurs et de nos espérances, et cela nous réconforta. J'étais tellement épuisé que je m'endormis en piquant du museau dans ma gamelle.

EN PIQUANT DU MUSEAU !

Je m'endormis en piquant du museau dans ma gamelle.

2e JOUR : MARDI

Le lendemain, Arsénia nous réveilla de nouveau au point du jour avec un seau d'eau froide.

–TOULMONDENRANG !

Après le petit déjeuner (omelette aux scarabées et bouillie de moustiques), nous nous remîmes en marche.

Nous ne nous arrêtâmes pas avant midi, quand Arsénia nous donna un cours accéléré de secourisme : elle nous apprit même à pratiquer la respiration artificielle.

Le repas consistait en boulettes de limaces en sauce. Boumboum dévora sa part, puis se cacha derrière un buisson pour GRIGNOTER un sandwich au maroilles, mais Arsénia le surprit et fouilla son sac à dos. Elle confisqua ses provisions et les jeta dans la rivière.

Boumboum sanglota :

– JE VEUX RENTRER À LA MAISON !

Arsénia lui secoua le contrat sous le museau.

– Trop tard, mon chou, tu as signé !

Dans un geste de révolte, il lui arracha le papier des pattes, n'en fit qu'une bouchée et l'avala.

– Et voilà ! cria-t-il, satisfait. Plus de contrat !

Arsénia ricana, sortant de son sac à dos un autre papier, identique au premier.

– Ce n'était qu'une photocopie, mon chou ! L'original est enfermé dans le coffre-fort de mon bureau !

Boumboum allait de nouveau éclater en sanglots, mais je lui murmurai :
– Tiens, je te donne ma ration de boulettes de limaces ! Je vais sauter ce repas.
Il me remercia, les larmes aux yeux, et dévora les boulettes.
– Geronimo, tu es un véritable ami. Je ne l'oublierai jamais !
Après le repas, nous nous remîmes en route.
– Et maintenant, annonça Arsénia, nous allons traverser le Rio Mosquito.

Nous écarquillâmes les yeux. Les eaux du fleuve s'écoulaient, rapides, vers la vallée, charriant des troncs d'arbre et des détritus, emportant tout sur leur passage.
– J'ai peur ! murmurai-je.

– J'AI PEUR DE ME NOYER !

Au-dessous, le Rio Mosquito grondait, impétueux. J'avais une peur de félin.

Nous traversâmes la rivière, suspendus à une corde qui reliait les deux rives.

À un moment donné, Boumboum fondit en larmes.
– J'ai tellement faim que la tête me tourne ! Je n'en peux plus !
– Tiens bon, Boumboum ! criai-je, mais il lâcha prise et tomba dans le Rio Mosquito.
Je me jetai à l'eau pour aller à son secours.

Le courant l'emportait à toute allure, et il piquait déjà du museau sous l'eau quand je parvins à le rattraper par la queue.
Puis je le traînai jusqu'à la rive et pratiquai sur lui la respiration artificielle.
– Merci ! Tu m'as sauvé la vie ! murmura Boumboum, plein de gratitude, en recrachant des litres d'eau.

Une chose me frappa soudain :
je n'avais plus peur de l'eau !
Arsénia ricana, enchantée.
Elle me félicita :
– Tu commences à apprendre, Stilton ! Dommage que le stage ne dure qu'une semaine : si je pouvais te prendre en charge pendant six mois, je ferais de toi une vraie souris !

3e JOUR : MERCREDI

– Aujourd'hui, jour de repos ! cria Arsénia en nous réveillant (toujours au point du jour) avec le sempiternel seau d'eau (toujours glacée). Vous allez vous « reposer » (façon de parler) en construisant une cabane au faîte d'un arbre. Stilton, c'est toi qui commences : tu vas escalader cet arbre.

Et elle désigna un séquoia qui mesurait au moins cent vingt mètres. JE CRUS QUE J'ALLAIS M'ÉVANOUIR.

Je murmurai, terrorisé :

– J'ai le vertige ! J'AI PEUR DU VIDE !

Au même instant, une petite patte se posa sur mon épaule. C'était Crêp Suzett.

Elle murmura :

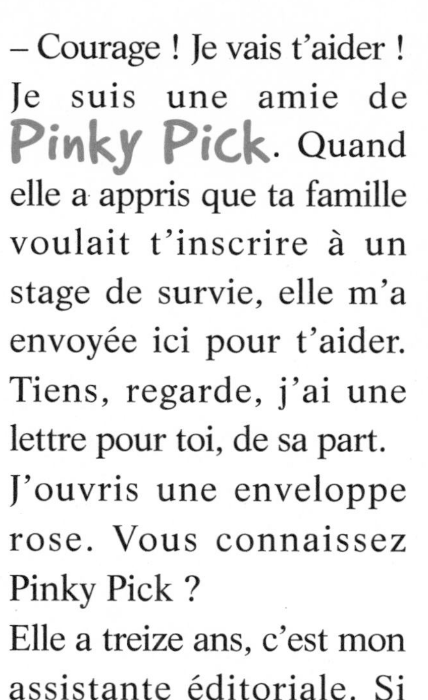

– Courage ! Je vais t'aider ! Je suis une amie de **Pinky Pick**. Quand elle a appris que ta famille voulait t'inscrire à un stage de survie, elle m'a envoyée ici pour t'aider. Tiens, regarde, j'ai une lettre pour toi, de sa part.

J'ouvris une enveloppe rose. Vous connaissez Pinky Pick ?

Elle a treize ans, c'est mon assistante éditoriale. Si vous voulez en savoir plus sur elle, lisez *Mon nom est*

Pinky Pick

assistante éditoriale du chef

CHEF,

tu peux avoir confiance en Crêp
Suzett, qui est ma meilleure amie.
Crêp a passé des années
chez les scouts, et elle t'aidera
à revenir sain et sauf à Sourisia.
CHEF, montre-leur qui tu es !
Je suis sûre que tu y arriveras.
Courage !!!

Pinky Pick

P.S. ... alors, j'ai bien mérité
une petite augmentation, non ?

L'Écho du Rongeur – 13, rue des Raviolis
13131 Sourisia (île des Souris)

www.geronimostilton.com

Stilton, Geronimo Stilton !

Crêp me fit un clin d'œil.

– Aie confiance, chef, et fais ce que je te dis !

Puis elle cria à l'intention d'Arsénia :

– Je demande la permission de grimper à ce séquoia avec Geronimo Stilton !

Arsénia ne répondit pas. Elle nous dévisagea longuement, tous les deux, comme pour deviner la vraie raison de cette demande. Elle finit par acquiescer, songeuse :

– Pourquoi pas ? Crêp murmura, rassurante :

– Tout va bien se passer, fais-moi confiance, chef !

Nous escaladâmes le séquoia lentement, mètre après mètre.

– Ne regarde pas en bas ! Tu ne dois regarder en bas sous aucun prétexte ! répétait-elle, impérieuse.

Enfin nous atteignîmes… une très grosse branche recouverte de feuilles…

– Voilà, cette branche conviendra parfaitement : elle est assez large pour qu'on y construise un refuge et assez solide pour supporter notre poids, m'assura Crêp d'un ton expert.

Je me penchai et regardai en bas. J'aurais mieux fait d'éviter.

Ma tête commença à tourner et je crus que j'allais m'évanouir.

Quel vertige ! Quel vertige ! Quel vertige !

J'allais dégringoler de l'arbre quand Crêp me retint par la queue.

– Je t'avais pourtant dit de ne pas regarder en bas, chef ! me reprocha-t-elle.
Puis elle cria aux autres :
– On va faire descendre la corde !
Elle bricola une sorte de monte-charge, à l'aide duquel elle hissa les planches pour la construction de la cabane. Nos compagnons montèrent aussi par ce moyen.
Au bout d'un moment, je m'aperçus que le vide ne me faisait plus rien.
– Tu as vu, chef ? me dit Crêp en souriant. Tu as réussi ! Maintenant, habitue-toi à regarder en bas, mais pas trop longtemps à chaque fois !
Mes quatre amis et moi, nous travaillâmes durement jusqu'au soir. Nous dînâmes d'un pâté de termite et de paupiettes de chenilles. Nous passâmes la nuit dans notre nouvelle cabane dans l'arbre : nous étions vraiment fiers.
Arsénia elle-même laissa échapper un compliment :
– Pas mal pour des blancs-becs de la ville, pas mal…

4e JOUR : JEUDI

Après le réveil habituel au point du jour (toujours avec son **seau d'eau glacée** sur le museau), Arsénia nous annonça :

– Aujourd'hui, vous allez apprendre à vous orienter !

Elle distribua à chacun une carte géographique de la Jungle-Noire et une boussole.

– Écoutez-moi bien : chacun de vous devra rejoindre seul (j'ai bien dit : seul !) le **CAMPEMENT N° 2** avant la nuit.

Je frissonnai : J'AI PEUR DE ME TROUVER SEUL DANS LA FORÊT !

Je ne vous raconte pas ce qu'éprouve une souris peureuse lorsqu'elle se retrouve seule au cœur d'une forêt tropicale.

Je sursautais au moindre bruit. À un moment donné, je sentis quelque chose D'HUMIDE, FLASQUE et POILU qui m'effleurait le cou et je bondis en criant :

– Scouiiiiiitt !

Puis je poussai un soupir de soulagement : ce n'était qu'une liane qui pendait d'un arbre.

Je rassemblai tout mon courage et étudiai la carte. Je me mis à réfléchir à haute voix pour me donner du cœur à l'ouvrage :

– Bon, voyons, c'est rudement facile, aussi facile que de grignoter un morceau de fromage ! Il suffit de bien observer la boussole… et de chercher un point de repère dans le paysage. Bon, alors, commençons par le commencement, je suis ici (ou ici ?) et je dois arriver là (ou là ? euh, je ne me rappelle plus) en pas-

Il suffit de bien observer la boussole…

sant par ici ou bien par là, au choix (mais pourquoi dois-je choisir ? parce que, c'est comme ça).
Une demi-heure plus tard, je dus m'avouer à moi-même, en pleurant :
– Par mille mimolettes, je suis perdu !
J'errai pendant des heures dans la Jungle-Noire.
De temps en temps, je m'arrêtais pour pleurer :
– Ah, mais pourquoi ai-je signé ?
Puis je me mettais en colère :
– Si je m'en sors… si je m'en sors vivant… ma famille aura de mes nouvelles !
Soudain, j'entendis un froissement dans les feuilles. Je me tus, très inquiet, et me cachai.
Et si c'était un félin ? Ou un *chat sauvage* ?
J'empoignai une grosse branche et me préparai à lui en asséner un grand coup sur la tête.
« Je vendrai chèrement ma peau ! »
C'est alors que je vis un buisson qui se déplaçait.
– Je vais t'apprendre, moi, sale félin ! hurlai-je, en tapant de toutes mes forces.

SOUDAIN, J'ENTENDIS UN FROISSEMENT DANS LES FEUILLES.

Un couinement de douleur retentit : c'était B. C. !
– Oh, pardonne-moi, Balaclava ! J'ai cru que c'était un fauve !
Il gémissait : **AÏÏÏÏÏE !**
Je lui appliquai une compresse de feuilles d'arbre mouillées, mais il lui poussa tout de même une belle bosse au milieu du front. J'étais rassuré : Balaclava saurait sûrement comment atteindre le **CAMPEMENT N° 2 !** Arsénia nous avait ordonné d'y arriver seuls, d'accord, mais c'était le hasard qui nous avait réunis !
Il marmonna :
– *Umpf*, en route !

D'un air très pro, il observa la boussole, puis la carte et, d'un ton supérieur, indiqua la direction à suivre :
– *Umpf*, tu vois comme c'est facile ? Nous devons aller vers le nord-est, c'est donc la bonne direction, *umpf* !

La boussole ne peut pas se tromper !
Rassuré, je me hâtai de répéter :
– Bien sûr, le nord-est, c’est par là ! Bien sûr, c’est évident…
Nous nous mîmes en route.
Nous crapahutâmes encore pendant **CINQ HEURES !**

À un moment donné, je demandai, hésitant :
– Euh, B. C., on ne devrait pas être déjà arrivés depuis longtemps ? Il éclata :
– *Umpf*, je te dis que c'est la bonne direction ! La boussole ne peut pas se tromper, *umpf* !
Deux heures plus tard, je ne tenais plus sur mes pattes. Je demandai de nouveau :
– Euh, B. C., tu es sûr qu'on va dans la bonne direction ? Il soupira, excédé :
– *Umpf*, la boussole ne peut pas se tromper ! Elle ne peut pas se tromper, *umpf* !

Une heure plus tard, le soleil commença à se coucher. B. C. s'arrêta et murmura :

– *Umpf umpf umpf*, il faut que je te dise quelque chose… Il fondit en larmes.
– La boussole ne peut pas se tromper, mais moi si. Je me suis perdu ! *Uuuuumpf* !
J'essayai de le consoler :
– Courage. Nous sommes deux à nous être perdus, non ?
Les ombres des arbres s'allongeaient et on y voyait de moins en moins. Soudain, j'eus une idée.
– Grimpons à ce séquoia ! De là-haut, nous verrons peut-être le **CAMPEMENT N° 2 !**
Le visage de B. C. s'éclaira.
– *Umpf* ! Génial ! Puis il s'assombrit.
– Mais moi, je ne peux pas grimper aux arbres. *Umpf*, j'ai la tête qui tourne à cause du coup que tu m'as donné. Il n'y a que toi qui puisses nous sauver, Geronimo !
– Bon, calme-toi, je m'occupe de tout, j'en ai pour cinq minutes ! chicotai-je. Mais moi, je n'étais pas du tout calme ! Je commençai à escalader.

Par mille mimolettes, quelle trouille !
Mais je me souvins du conseil de Crêp Suzett.
Je ne regardai jamais en bas.
Je commençai à escalader.
Je montai de plus en plus haut.
Une fois au faîte de l'arbre, je regardai au loin, à travers le feuillage.
Voilà ! Dans l'obscurité, je découvris les lumières du **CAMPEMENT N° 2**. Je criai à B. C., qui m'attendait au pied du séquoia : – Je les vois ! Ils sont là !
Puis je descendis lentement.
Quand je touchai terre, B. C. m'embrassa en sautant de joie.
Un quart d'heure plus tard, nous arrivions au **CAMPEMENT N° 2**.

5e JOUR : VENDREDI

Arsénia **nous réveilla à l'aube** (oui, vous avez deviné, avec un seau d'eau glacée). Après le petit déjeuner (bouillie de chenilles velues et omelettes aux termites géants), elle nous donna une longue leçon de technique de survie :

– **LA JUNGLE-NOIRE EST PLEINE DE DANGERS !** Il faut faire attention où l'on met les pieds !

Puis elle me dit :

– Je vais vous faire une démonstration. **STILTON, VIENS ICI !**

Elle planta un fanion rouge dans le sol, puis elle ordonna :

– **STILTON, ASSIEDS-TOI ICI !**

J'allais m'asseoir, quand Arsénia cria :

– **STOP, STILTON !**

Elle souleva une feuille morte et j'écarquillai les yeux : dessous était tapi un énorme scorpion !

– Si tu t'étais assis, à l'heure qu'il est, tu serais une souris morte, Stilton !

Elle désigna le sentier.

– Dans la Jungle-Noire, le danger vous guette partout. Va au bout de ce sentier, Stilton !

Je me mis en marche. J'avais à peine fait deux pas qu'un nœud coulant dissimulé dans les buissons se serra autour de ma patte et qu'une corde me souleva. **C'était un piège !**

– Scouiiiiiitt ! criai-je, la tête en bas.

Arsénia ricana :

– Tu as vu, Stilton ?

À l'aide d'une machette, elle coupa net la corde qui me tenait en l'air et je tombai par terre la tête la première.

– **Aiiiiie !** glapis-je.

Arsénia couina :

– Et maintenant, cours jusqu'à cet arbre, Stilton ! Mais prends garde, Stilton…

Je n'eus pas le temps de faire trois pas que je tombai dans une fosse creusée dans le sol.

– SCOUITTIRISCOUITTTTT !

SCOUITTIRISCOUITTTTTT !

criai-je.

Arsénia se pencha sur le trou.

– Ça va ? Tu n'es pas mort, Stilton ? Tu n'oublieras jamais cette leçon, pas vrai, Stilton ?

Arsénia se pencha sur le trou…

Puis elle s'adressa à mes camarades :
– Et je parie que vous non plus, vous ne l'oublierez pas ! J'espère que vous retiendrez quelque chose de ce qui vient d'arriver à Stilton ! Allez, en route !
Je hurlai :
– Quoi quoi quoi ? Vous me laissez ici ?

J'AI PEUR DES ESPACES CLOS !

Arsénia se pencha de nouveau sur le trou et murmura, d'un ton sadique :
– Je le sais, Stilton...

DÉBROUILLE-TOI, STILTON !

J'attendis trois heures qu'elle rentre de la marche et me fasse sortir de là. Pour moi, qui souffrais de claustrophobie, rester dans ce trou noir, humide, grouillant d'insectes, ce fut bien pis que de rester enfermé dans un ascenseur. Pourtant, je survécus à cette épreuve.

6e JOUR : SAMEDI

Arsénia réveilla mes compagnons au point du jour avec son habituel seau d'eau glacée sur le museau.

Moi, j'étais déjà debout !

NA NANA NA NA NA NÈÈRE !

J'avais fait exprès de me lever cinq minutes plus tôt pour ne pas donner ce plaisir à Arsénia !

Elle ricana :

– Tu t'améliores, Stilton…

Puis elle hurla :

– **TOULMONDENRANG !**

Après le petit déjeuner (un sandwich au serpent fumé), elle nous réunit.

– Bon, j'ai besoin de quelqu'un qui a peur des araignées… Qui est volontaire ?

J'essayai de me cacher derrière Balaclava.
Arsénia cria :
– Je choisis un nom au hasard : Stilton !
Je soupirai et fis un pas en avant.
Elle prit une cage remplie d'araignées velues qui agitaient leurs petites pattes dans tous les sens ; BRRR ! rien qu'à les voir, j'en avais la chair de poule.
Arsénia dit :
– Souvenez-vous que le plus important, c'est de garder son calme ! Vous ne devez vous laisser gagner par la panique sous aucun prétexte. Et maintenant, Stilton, ferme les yeux !
Je les fermai en tremblant. Je compris qu'elle me posait quelque chose sur le museau.

Quoi donc ?

Elle murmura :

– Ne bouge surtout pas, Stilton, si tu tiens à ton pelage…

J'entrouvris les yeux :

J'AVAIS UNE ÉNORME ARAIGNÉE SUR LA POINTE DU MUSEAU !

Arsénia hurla :
– Stilton, ne change pas de position pendant dix secondes à partir de maintenant ! Dix, neuf, huit, sept, six, cinq…
MES MOUSTACHES EN TREMBLAIENT DE PEUR.
J'entendis mes quatre amis qui criaient pour m'encourager :
– Allez, Stilton, tiens bon, Stilton !
Ils se joignirent à Arsénia pour chanter en chœur :
– … quatre, trois, deux, un…
Crêp Suzett, B. C., Naphtaline et Boumboum crièrent ensemble :
– Hourraaa ! Vive Stilton !
Je désignai l'araignée d'une patte tremblante.
– Vous voulez bien m'enlever ça, s'il vous plaît ?
Arsénia ricana, prit l'araignée…
Elle la secoua sous mon museau.
– Elle était en plastique, Stilton !
Je m'évanouis. Elle me ranima avec un seau d'eau glacée sur le museau !

Elle continua :

– Maintenant, j'ai besoin d'un autre volontaire. Naphtaline !

Arsénia prit dans une cage un **énorme serpent** vert et l'enroula sur lui-même avec habileté.

– À présent, je vais vous apprendre à distinguer les serpents venimeux de ceux qui sont inoffensifs. Celui-ci – et elle indiqua le serpent – est absolument inoffensif. Naf, attrape-le au vol !... – et elle le lança à Naphtaline.

La petite vieille (elle était en forme, il faut le reconnaître) pâlit, mais attrapa le serpent au vol. Il s'enroula autour de son cou...

La petite vieille (elle était en forme, il faut le reconnaître) pâlit, mais attrapa le serpent au vol. Il s'enroula autour de son cou…
Elle ne cilla pas et cria : You-houuuu !
Tout le monde applaudit.
Puis Arsénia prit un autre reptile par la queue et le fit tournoyer en l'air.
– Voici la seule manière de rendre un serpent inoffensif : il faut le tenir par la queue ! Comme ça, il ne peut pas vous mordre ! Pour prouver que j'étais devenu une souris courageuse, j'eus une idée : j'introduisis une patte dans la cage, pris un autre serpent, qui paraissait semblable aux autres, et je le fis tournoyer dans les airs, en criant :
– Regardez par ici ! Arsénia pâlit.
– *Tu t'es trompé de serpent, Stilton !* Celui-ci est venimeux, Stilton !
– Au secours ! Qu'est-ce que je peux faire ? hurlai-je, terrorisé.

Je le fis tournoyer dans les airs...

Arsénia ordonna :

– Garde ton calme, Stilton ! Continue de faire tournoyer le serpent, Stilton !

Je crus que j'allais m'évanouir, mais je parvins à garder mon calme et je continuai à faire tournoyer le serpent.

Arsénia se mit à jouer à la flûte une musique hypnotique...

Le serpent ferma les yeux et s'endormit.

Alors, d'un geste vif, Arsénia l'attrapa et le remit en cage. Elle commenta :

– La prochaine fois, avant de faire le malin, tu vérifieras si le serpent est venimeux ou pas, hein, Stilton !

C'EST COMME ÇA, STILTON !

7e JOUR : DIMANCHE

La nuit du samedi, nous marchâmes sans nous arrêter. Le matin du dimanche, à l'aube, nous arrivâmes au **CAMPEMENT N° 1**, la caserne de béton

armé d'où nous étions partis une semaine plus tôt. Il me semblait que notre excursion avait duré une éternité. Nous avions appris tant de choses !

Ce stage dans la Jungle-Noire m'avait vraiment changé la vie.

Arrivés à la caserne, nous prîmes un petit déjeuner composé de cafards verts frits, de beignets de tiques et de bouillie de taons.

Après une bonne douche (enfin !), je peignai mes moustaches et lustrai mon pelage : j'avais de nouveau un air respectable.

J'allai dire au revoir à mes quatre nouveaux amis : nous échangeâmes nos adresses et nous saluâmes avec émotion.

Boumboum m'embrassa :

– Merci, Stilton, sans toi, j'aurais fini au fond d'une rivière !

Il ajouta, satisfait :

– En plus, ce stage a été très efficace : tu as vu comme j'ai maigri ?

Crêp Suzett me fit un clin d'œil.

– Ça a été un plaisir de faire ta connaissance, chef ! Je vais dire à Pinky qu'elle peut être fière de toi !

Balaclava Calatrava broya énergiquement ma patte dans la sienne.

– *Umpf*, Stilton, on se voit au prochain stage, hein ?

Je chicotai, en riant sous mes moustaches :

– Oui ! Pourquoi pas ? Sûrement !
Naphtaline m'offrit une photo qu'elle avait prise quand je faisais tournoyer le serpent.

– C'est pour toi, Stilton, pour que tu n'oublies pas ce stage.

Je hochai la tête.

Je les invitai tous à Sourisia :

– Venez me voir, mes amis ! Nous évoquerons nos souvenirs de cette expérience unique !

Enfin, je saluai Arsénia, qui, en ricanant, murmura :

– Je t'ai requinqué, hein, Stilton ?

Je lui serrai la patte, trop ému pour parler.

Je me retournai pour m'en aller.

J'étais déjà sur le seuil, quand je me tournai de nouveau, pris une profonde inspiration et m'écriai :

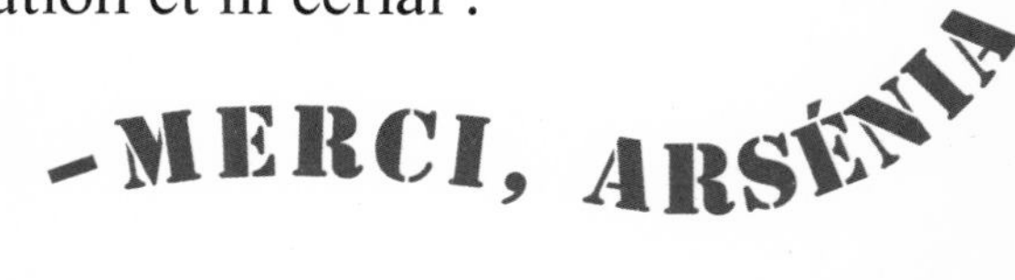

Je vis que ses yeux brillaient. Pour cacher son émotion (car, pour elle, c'était de la faiblesse), elle murmura :

– Allez, file, Stilton, avant que je te fasse signer pour le prochain stage dans les montagnes Glaciales !

À l'extérieur de la caserne, Téa, Traquenard et Benjamin m'attendaient.

Mon neveu murmura, inquiet :

– Oncle Geronimo, tu n'es pas en colère contre moi ?

Je le serrai fort dans mes pattes et caressai ses petites oreilles avec tendresse.

– Mais non, ma lichette d'emmental ! Je t'aime toujours ! Je t'aimerai toujours !

Puis je me tournai vers Téa et Traquenard. Je les embrassai.

– Je dois reconnaître que cette expérience m'a fait le plus grand bien. Je suis guéri !

Le même 4 × 4 jaune qui m'avait emmené au **CAMPEMENT N° 1** nous reconduisit à l'aéroport, où nous montâmes dans un avion pour Sourisia.
En rentrant chez moi, je réfléchis que je n'avais pas seulement surmonté mes peurs, mais que je m'étais fait **quatre** nouveaux amis.
Quatre souris rencontrées dans la Jungle-Noire, **quatre** rongeurs avec qui j'avais partagé mes peurs et mes joies, des moments difficiles et des satisfactions intenses...

4

J'avais appris que tous les problèmes sont faciles à surmonter, si on les affronte unis.

Oui, j'étais heureux de m'être fait **quatre** nouveaux amis fidèles...
... euh, **cinq**, si on compte Arsénia !

RAGON*D*EZ-MOI *D*OUT, *CH*E *F*OUS PRIE !

Je retournai voir le docteur Souristein.

– Ragon*d*ez-moi *d*out, *ch*e *f*ous prie !

– Vous aviez raison, docteur ! J'ai suivi un stage de survie dans la Jungle-Noire, j'ai affronté mes peurs, et je suis guéri !

Il était satisfait.

– *Ch*e *f*ous l'a*f*ez dit ! *Z*a ne dé*b*endait *g*ue de *f*ous ! Ah, ma nièce est *f*raiment *d*rès for*d*e !

Je demandai :

– Quoi ? Arsénia est votre nièce ?

Il avoua :

– Euh, *ch*e l'ai re*g*ommandée à *f*otre famille. *Ch*'étais *z*ûr *g*ue *z*a marcherait. Ar*z*énia est la *z*eule à *b*ou*f*oir guérir les *g*as de phobie *g*omme le *f*ôtre…

Peur du noir !

serpents !

vertige !

scorpions !

araignées !

EUH, MAIS LES CHATS...

Chers amis rongeurs,
voici la conclusion.
Aujourd'hui, je n'ai plus peur de L'AVION !
Je n'ai plus peur du NOIR !
Je n'ai plus peur des ARAIGNÉES !
Je ne souffre plus de CLAUSTROPHOBIE !

je n'ai plus peur

je n'ai plus peur

je n'ai plus peur

je n'ai plus peur

Bref, je suis guéri !
Euh, la seule chose dont j'ai encore peur, ce sont les CHATS...

Bref, je suis guéri !

Mais, comme le dit le docteur Souristein, c'est normal… : après tout, *je suis une souris !*

APRÈS TOUT,
JE SUIS
UNE SOURIS !

Table des matières

DANS LA MÊME COLLECTION

1. Le Sourire de Mona Sourisa
2. Le Galion des chats pirates
3. Un sorbet aux mouches pour Monsieur le Comte
4. Le Mystérieux Manuscrit de Nostraratus
5. Un grand cappuccino pour Geronimo
6. Le Fantôme du métro
7. Mon nom est Stilton, Geronimo Stilton
8. Le Mystère de l'œil d'émeraude
9. Quatre Souris dans la Jungle-Noire
10. Bienvenue à Castel Radin
11. Bas les pattes, tête de reblochon !
12. L'amour, c'est comme le fromage...
13. Gare au yeti !
14. Le Mystère de la pyramide de fromage
15. Par mille mimolettes, j'ai gagné au Ratoloto !
16. Joyeux Noël, Stilton !
17. Le Secret de la famille Ténébrax
18. Un week-end d'enfer pour Geronimo
19. Le Mystère du trésor disparu
20. Drôles de vacances pour Geronimo !

- Hors-série
  Le Voyage dans le temps

L'ÉCHO DU RONGEUR

1. Entrée
2. Imprimerie (où l'on imprime les livres et le journal)
3. Administration
4. Rédaction (où travaillent les rédacteurs, les maquettistes et les illustrateurs)
5. Bureau de Geronimo Stilton
6. Piste d'atterrissage pour hélicoptère

1
2
3
4
5
6
7
8
9
10
11
12
13
14
15
16
17
18
19
20
21
22
23
24
25
26
27
28
29
30
31
32
33
34
35
36
37
38
39
40
41
42
43
Fleuve Souris
Plage

Sourisia, la ville des Souris

1. Zone industrielle de Sourisia
2. Usine de fromages
3. Aéroport
4. Télévision et radio
5. Marché aux fromages
6. Marché aux poissons
7. Hôtel de ville
8. Château de Snobinailles
9. Sept collines de Sourisia
10. Gare
11. Centre commercial
12. Cinéma
13. Gymnase
14. Salle de concert
15. Place de la Pierre-qui-Chante
16. Théâtre Tortillon
17. Grand Hôtel
18. Hôpital
19. Jardin botanique
20. Bazar des Puces qui boitent
21. Parking
22. Musée d'art moderne
23. Université et bibliothèque
24. La Gazette du rat
25. L'Écho du rongeur
26. Maison de Traquenard
27. Quartier de la mode
28. Restaurant du Fromage d'Or
29. Centre pour la Protection de la mer et de l'environnement
30. Capitainerie du port
31. Stade
32. Terrain de golf
33. Piscine
34. Tennis
35. Parc d'attractions
36. Maison de Geronimo Stilton
37. Quartier des antiquaires
38. Librairie
39. Chantiers navals
40. Maison de Téa
41. Port
42. Phare
43. Statue de la Liberté

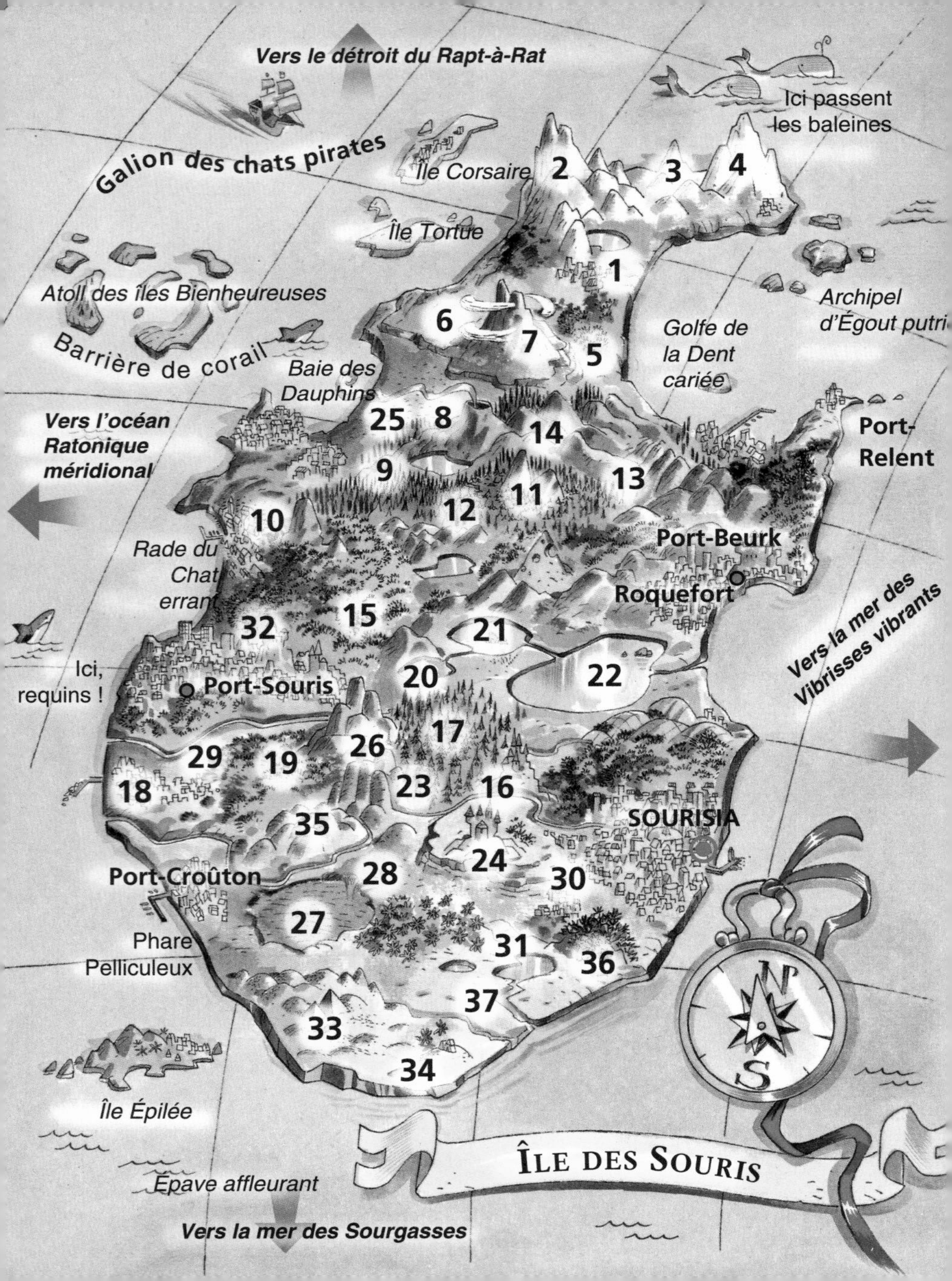

Vers le détroit du Rapt-à-Rat
Ici passent les baleines
Galion des chats pirates
Île Corsaire
Île Tortue
Atoll des îles Bienheureuses
Archipel d'Égout putri
Barrière de corail
Golfe de la Dent cariée
Baie des Dauphins
Vers l'océan Ratonique méridional
Port-Relent
Port-Beurk
Rade du Chat errant
Roquefort
Vers la mer des Vibrisses vibrants
Ici, requins !
Port-Souris
SOURISIA
Port-Croûton
Phare Pelliculeux
Île Épilée
Épave affleurant
Vers la mer des Sourgasses
ÎLE DES SOURIS
1 2 3 4 5 6 7 8 9 10 11 12 13 14 15 16 17 18 19 20 21 22 23 24 25 26 27 28 29 30 31 32 33 34 35 36 37

Île des Souris

1. Grand Lac de glace
2. Pic de la Fourrure gelée
3. Pic du Tienvoiladéglaçons
4. Pic du Chteracontpacequilfaifroid
5. Sourikistan
6. Transourisie
7. Pic du Vampire
8. Volcan Souricifer
9. Lac de Soufre
10. Col du Chat Las
11. Pic du Putois
12. Forêt-Obscure
13. Vallée des Vampires vaniteux
14. Pic du Frisson
15. Col de la Ligne d'Ombre
16. Castel Radin
17. Parc national pour la défense de la nature
18. Las Ratayas Marinas
19. Forêt des Fossiles
20. Lac Lac
21. Lac Lac Lac
22. Lac Laclaclac
23. Roc Beaufort
24. Château de Moustimiaou
25. Vallée des Séquoias géants
26. Fontaine de Fondue
27. Marais sulfureux
28. Geyser
29. Vallée des Rats
30. Vallée Radégoûtante
31. Marais des Moustiques
32. Castel Comté
33. Désert du Souhara
34. Oasis du Chameau crachoteur
35. Pointe Cabochon
36. Jungle-Noire
37. Rio Mosquito

Au-revoir, chers amis rongeurs, et à bientôt pour de nouvelles aventures.
Des aventures au poil, parole de Stilton, de...

Geronimo Stilton